Agentes secretos y el mural de Picasso

MIRA CANION

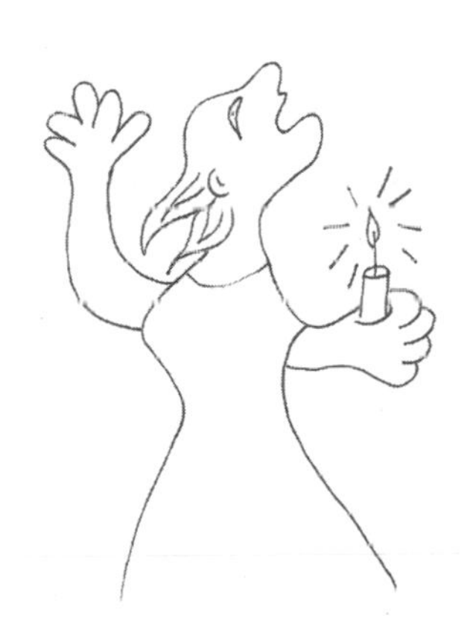

Agentes secretos y el mural de Picasso

Cover art and artwork by David Bruce Bennett
Chapter photography by Mira Canion

ISBN 978-0-9836958-2-0
EAN-13 9780983695820

Índice

Nota de la autora

For many years now, my students and I have been transforming Spanish vocabulary lists into interactive stories. We have started with a couple of facts and have used our imagination to create a story. Similarly, in this novella, I have mixed together several facts and painted them onto a canvas of fiction. My goal is for you to connect history, culture, and art while improving one's proficiency in Spanish. I invite you to explore the themes and places depicted, but most importantly, to let your imagination run wild.

To help in comprehension, it would be helpful for you to consult Picasso's actual painting, 'Guernica' while reading this novella. I have chosen to use the word 'mural' to reflect the initial commission: Pablo Picasso was to paint a mural for the 1937 International Exposition.

In addition, I have used 'chico' and 'chica' instead of 'hombre' and 'mujer,' not only to make the text more comprehensible, but also to reflect actual usage in Spain.

Mira Canion
Erie, Colorado
www.miracanion.com

Agentes secretos y el mural de Picasso

París, Francia

CAPÍTULO UNO

Talento

París, Francia

Muchas personas están en París, Francia en 1937. Las personas visitan la Exposición Internacional. Dos personas, Paula y Luis, visitan París. Paula y Luis visitan París, porque tienen un motivo secreto. Investigan un rumor: hay un secreto en un mural.

El mural está en la Exposición Internacional. El secreto está en el mural: información de la Lanza del Destino[1]. La Lanza es una leyenda fascinante. La Lanza es mágica. La persona que tiene la Lanza, controla el destino de Europa.

Paula está en París con Luis, porque tiene un talento especial. Paula tiene una imaginación excepcional. Observa imágenes secretas en el arte. Y observa símbolos secretos.

Paula no es una chica muy lógica. Es una chica romántica. Habla mucho con los chicos. Paula es de Barcelona, España. Es amiga de Luis. Paula tiene 22 años. Tiene el pelo largo y negro. Paula es muy guapa, superguapa.

Luis es de Barcelona, España. Tiene 23 años. Es un chico inteligente y serio. Luis es amigo de Paula. Luis es impaciente. Quiere urgentemente

---

1 **Lanza del Destino** – Spear of Destiny. Since the Spear pierced Jesus Christ's side during his crucifixion, many thought it gave great power. According to legend, whoever had it would hold the destiny of the world. If the Spear were lost, death would follow.

información de la Lanza, porque su papá quiere la Lanza.

El papá de Luis es una persona importante en España. Su papá es un político en España. El papá de Luis tiene muchos problemas. Hay mucha violencia en España. Un grupo militar ataca España. El grupo ataca a los políticos.

El grupo tiene un general. El general es Francisco Franco. El General Franco quiere controlar ilegalmente España. Franco es cruel.

Franco tiene información del rumor. Y tiene información de Paula y Luis. Franco quiere investigar el rumor, porque quiere la Lanza. Quiere la Lanza, porque quiere controlar España. Quiere controlar el destino de España.

El papá de Luis quiere la Lanza, porque quiere defender España. Quiere controlar el destino de España. Quiere la Lanza inmediatamente.

Sainte-Chapelle

CAPÍTULO DOS

Agente romántico

París, Francia

Paula y Luis están en la Exposición Internacional. Paula observa mucho el mural. La información de la Lanza está en el mural. Paula observa símbolos en el mural.

–¿Qué observas en el mural? ¿Dónde está la Lanza? –exclama Luis.

Paula no responde. Paula observa el mural.

–¿Observas información de la Lanza? –insiste Luis.

–Sí, símbolos –responde Paula.

Dos chicos misteriosos observan la conversación. Los chicos son agentes secretos. Los agentes son agentes secretos de Franco. Los agentes tienen información de Paula y Luis. Los agentes observan a Paula, porque Paula investiga el mural. Los agentes quieren la Lanza del Destino también. Los agentes quieren la Lanza, porque Franco quiere controlar España.

Un agente es Javier. Es un agente cruel. Javier no es muy inteligente. Es un chico serio. No es muy popular con las chicas. No es guapo. Tiene 24 años.

El agente número dos es Mario. Tiene un talento especial. Mario es un agente romántico. Es experto en hablar románticamente con las chicas.

Mario no es grande. Es pequeño. Tiene el pelo negro y los ojos negros. Tiene 20 años. Es guapo, muy guapo.

Paula observa un toro y un caballo

CAPÍTULO TRES

El mural famoso

 París, Francia

Mario observa mucho a Paula, porque Paula es muy guapa. Mario le dice a Javier:

–Paula es muy guapa, superguapa.

Javier le pega a Mario en el brazo.

–Silencio –insiste Javier.

Paula observa el mural. El mural se llama 'Guernica', porque el mural representa la destrucción de Guernica, España. Franco y sus amigos militares bombardearon Guernica.

El mural es de Pablo Picasso. Picasso es un artista famoso. Picasso tiene mucho talento.

En el mural solamente hay dos colores: blanco y negro. Hay seis personas y tres animales. Hay nueve cabezas en total. Hay tres cabezas de animales y seis cabezas de personas. Muchas cabezas tienen una expresión de terror, porque hay bombas en Guernica.

Los ojos de las cabezas no son normales. Las manos no son normales. Son grandes. Los dedos no son normales. Los dedos son enormes.

Paula observa tres animales. Paula observa un caballo[1]. El caballo no es normal. Una lanza penetra en el estómago del caballo. Paula observa mucho la lanza.

---

1 **caballo** – horse

Paula observa un toro[2]. Paula también observa a las seis personas en el mural. Las personas sufren mucho.

Paula escribe sus observaciones en un papel. Tiene interés en los símbolos. Luis observa los símbolos también. No comprende los símbolos. Luis quiere información sobre la Lanza. Luis dice:

–¿Qué escribes en el papel?

–Símbolos –comenta Paula.

–¿Qué símbolos? –dice Luis.

Luis es una persona muy impaciente. Quiere información de la Lanza. Pero Paula está exhausta. Paula dice:

–Quiero hablar en un café.

–Excelente idea. Vamos. Vamos a un café –responde Luis.

Javier y Mario escuchan la conversación. Javier dice:

–¡Vamos! Paula va a un café.

–Perfecto. Vamos –responde Mario.

---

2 **toro** – bull

El restaurante 'Les Deux Magots'

CAPÍTULO CUATRO

Café

París, Francia

En París, hay un café popular. El café se llama 'Les Deux Magots'. Paula y Luis caminan hacia el café. Javier y Mario caminan detrás de Paula y Luis. Caminan detrás de Paula y Luis en secreto. Paula y Luis no observan a Javier. No observan a Mario.

En el café, Javier habla con Mario. Habla de una cámara. Es una cámara secreta. La cámara está en un sombrero. Javier le dice a Mario:

–Toma el sombrero. La cámara está en el sombrero. Yo quiero fotos de la investigación de Paula.

–Perfecto. Fotos de Paula –dice Mario.

–¡No! ¡Mario! Fotos de la investigación –responde Javier.

–Comprendo. Fotos de la investigación –dice Mario.

Paula habla con Luis. Habla sobre el mural de Picasso. Javier escucha la conversación. Luis quiere información de la Lanza. Está impaciente. Luis dice:

–¿Qué observas en el mural?

–La Lanza está en el centro de un patio. Es una casa grande. Una lámpara es importante –explica Paula.

–Interesante. Una casa grande. Una casa con una lámpara –dice Luis.

Paula ve imágenes en su imaginación. Ve

una casa enorme con lámparas. Paula escribe en el papel. Luis no comprende los símbolos. Paula dice:

–¿París tiene una conexión con la Lanza?

–Sí, la Lanza tiene una conexión con la Sainte-Chapelle. Es una catedral pequeña en París –responde Luis.

Luis explica la historia de la Sainte-Chapelle[1]. Paula es curiosa. Paula le dice:

–Quiero investigar la Sainte-Chapelle.

–Buena idea. ¡Vamos! –exclama Luis.

Javier y Mario caminan detrás de Luis y Paula. Quieren la información de la Lanza.

---

1 **Sainte-Chapelle** – Saint Chapel. French King Louis IX built the church in 1248 to show off the Spear of Destiny. He bought the Spear during a Crusade. During the French Revolution (1789), it disappeared without a trace.

Sainte-Chapelle

CAPÍTULO CINCO

La lámpara

 París, Francia

En secreto, Luis y Paula entran en la catedral. Javier y Mario entran detrás de Paula y Luis. Paula observa la catedral. La catedral es similar a la casa en la imaginación de Paula.

Luis y Paula caminan por la catedral. Hay muchas columnas.

Luis y Paula observan las columnas. Mario y Javier caminan por la catedral en silencio.

Luis enciende una vela.[1] Luis camina con la vela hacia una columna. Paula observa curiosamente a Luis. En particular, Paula observa la vela. En su imaginación, Paula ve la lámpara en el mural. La vela es similar a la lámpara en el mural. Paula dice:

–Luis, camina hacia la columna en el centro.

–¿Por qué? –dice Luis.

–La vela es idéntica al mural –responde Paula.

Luis camina hacia la columna que está en el centro de la catedral. Está frente a la columna. Mario y Javier caminan en secreto hacia Paula y Luis. Mario y Javier están detrás de una columna. Paula dice:

–En el mural, la lámpara y la lanza están en el centro del patio.

–¿La lanza está en una columna? –comenta Luis.

–Es posible –responde Paula.

---

1 **enciende una vela** – lights a candle

Una columna en la Sainte-Chapelle

Luis camina hacia la columna. Paula observa la columna. En la columna están cuatro símbolos. Paula exclama:

–¡Mira! Hay cuatro símbolos.

Mario camina en silencio hacia la columna. Quiere fotos de los símbolos. Paula y Luis no ven a Mario.

Luis está impaciente. No comprende los símbolos. Quiere información de la Lanza.

Por accidente, la vela quema[2] el pelo de Paula. Luis le pega a Paula en el pelo, porque el pelo se quema. Paula está furiosa, porque Luis le pega. Entonces, Paula le pega a Luis. Pero Luis exclama:

–¡Tu pelo se quema!

Paula mira el pelo. En ese momento, el pelo no se quema. Paula no está contenta. Paula dice:

–¡Vamos!

–¿Y los símbolos en la columna? –insiste Luis.

–Cuatro gatos –responde Paula.

Paula y Luis son de Barcelona. Tienen

---

2 **quema** – sets fire to, burns

mucha experiencia en Barcelona. Luis comenta:

–Es curioso. 'Los cuatro gatos' es un restaurante en Barcelona.

–Es el restaurante favorito de Picasso –responde Paula.

–Y en el restaurante, Picasso tiene exposiciones –dice Luis.

Mario y Javier escuchan la conversación. Javier quiere fotos del papel de Paula. No comprenden por qué el restaurante es importante. Mario y Javier no son de Barcelona. Paula y Luis son de Barcelona. Luis dice:

Vamos a Barcelona. Vamos al restaurante.

–¡Excelente! Quiero ver el arte de Picasso –exclama Paula.

Parque Güell

CAPÍTULO SEIS

Fotos

 Barcelona, España

Paula y Luis van hacia Barcelona, España. Paula y Luis son de Barcelona. Quieren investigar el restaurante. Barcelona está en la costa de España.

Javier y Mario van detrás del coche de Paula. El coche de Paula es especial. Es rápido.

Talbot-Lago 1937, el coche de Paula

Es un Talbot-Lago del año 1937. Es un coche pequeño.

El Mercedes es el coche de Javier. Es un coche excelente. Es un coche rápido.

En Barcelona, Paula y Luis no van directamente al restaurante. Van a un parque famoso. Javier y Mario van al parque en secreto. Luis quiere que Paula compare Barcelona con el mural. Es posible ver muchos ángulos de Barcelona desde el parque. Es posible ver la costa, el centro y catedrales. El parque se llama Parque Güell.

En el parque, Paula mira su papel. Paula observa Barcelona y compara Barcelona con el mural. En su papel están sus observaciones del mural.

Javier quiere fotos del papel de Paula. Javier le dice a Mario:

–Quiero fotos del papel de Paula.

–Yo quiero tomar las fotos –dice Mario.

–Excelente. Toma fotos del papel –responde Javier.

Mario camina hacia Paula y Luis. Mario tiene una cámara secreta en el sombrero.

Paula observa a Mario. Observa su pelo y sus ojos. Mario tiene los ojos negros. Es muy guapo. Paula mira mucho a Mario porque es muy guapo.

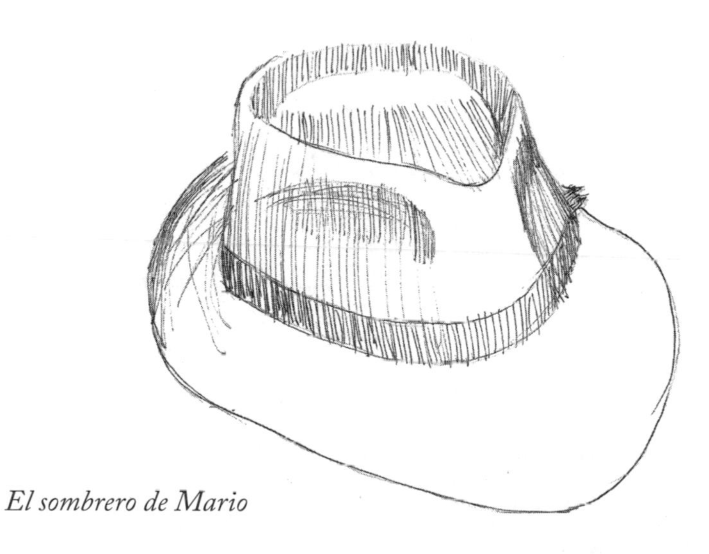

El sombrero de Mario

Mario mira románticamente a Paula. Y Paula mira románticamente a Mario. Paula dice:

–Hola. ¿Qué tal?

–Bien –responde Mario.

–¿Cómo te llamas? –dice Paula.

–Me llamo Mario. Y mi amigo se llama Javier –responde Mario.

Mario mira los ojos de Paula. En secreto, Mario toma muchas fotos de Paula. Toma fotos de sus ojos y su boca. Toma fotos de su pelo.

Mario camina hacia Paula. Mario le dice a Paula:

–Tú eres muy guapa. Tus ojos son divinos.

–Gracias. Y tú eres guapo también –responde Paula.

–¿Eres de Barcelona? –dice Mario.

–Sí. ¿Y tú? ¿De dónde eres? –responde Paula.

–Del paraíso –explica Mario románticamente. Paula está contenta. Quiere hablar con Mario. Pero Luis toma la mano de Paula. Luis está impaciente. Luis le dice a Paula:

–Vamos al restaurante.

–Pero Mario es muy guapo. Y muy interesante –responde Paula.

–La investigación es muy interesante. Vamos al restaurante –insiste Luis.

Paula y Luis caminan por el parque. Caminan hacia el coche. Mario corre hacia Javier.

–¿Tienes fotos? –dice Javier.

–Sí, muchas fotos. Muchas fotos de Paula –responde Mario.

–¡No quiero fotos de Paula! ¿Dónde está Paula? –exclama Javier.

–Paula y Luis van al restaurante –explica Mario.

–Vamos al restaurante también –dice Javier.

El restaurante 'Los cuatro gatos'

CAPÍTULO SIETE

Cuatro gatos

 Barcelona, España

Paula y Luis entran en el restaurante 'Los cuatro gatos'. Quieren ver el arte de Picasso. Javier y Mario entran en secreto en el restaurante. Muchas personas en el restaurante hablan sobre la política. Hablan sobre el conflicto nacional. Hay una guerra civil[1]. El General Franco

1 **guerra civil** – The Spanish Civil War (1936-1939) was started by several military leaders, including Francisco Franco. They tried to quickly take over the government, but it turned into a three-year war. Barcelona was the scene of many battles.

En el cuadro hay un chico sobre un caballo

y sus amigos militares quieren controlar ilegalmente España.

En el restaurante hay una exposición de arte. Hay tres cuadros[2] de Picasso. Luis quiere que Paula compare estos cuadros con el mural 'Guernica.'

Paula observa los cuadros de Picasso. Un cuadro representa la historia original de la Lanza del Destino. En el cuadro hay un chico sobre un caballo[3]. El chico tiene la Lanza. Luis mira el cuadro y exclama:

–¡La Lanza del Destino!

–Sí. Un chico sobre un caballo tiene la Lanza –responde Paula.

–¿Dónde está la Lanza? ¿En España? ¿Qué observas en los cuadros? –dice Luis.

---

2 **cuadros** – paintings

3 **caballo** – horse

Paula observa los cuadros. También mira el papel con sus observaciones. Paula compara el mural 'Guernica' con los cuadros. Paula comprende que el toro es el símbolo importante.

En su imaginación, Paula ve el mural. Paula ve un toro y a seis personas. Las personas tienen una expresión de terror, porque el toro corre hacia las personas. Paula dice:

–¿En qué parte de España hay toros que corren hacia las personas?

–Pamplona. En Pamplona muchos toros corren hacia las personas –responde Luis.

–¿La Lanza tiene una conexión con Pamplona?

Luis habla de la historia de la Lanza en París. Habla de la Sainte-Chapelle. Paula dice:

–¿Por qué la Lanza no está en la Sainte-Chapelle?

–Durante la Revolución Francesa en 1789, una persona tomó la Lanza de la Sainte-Chapelle.

–¡Qué interesante! –responde Paula.

Luis habla sobre la historia de Louis XVI. Luis explica que Louis XVI controló Francia durante la Revolución Francesa. También Louis XVI controló una parte de España. Paula comenta:

–¿Una parte de España? ¿Qué parte? –dice Paula.

–¡Navarra[4]! –responde Luis.

–¿Navarra tiene toros que corren hacia las personas? –comenta Paula.

–¡Sí! Pamplona está en Navarra. Pamplona es la capital de Navarra –responde Luis.

–¡Muy interesante! ¡Vamos a Pamplona! –exclama Paula.

Mario y Javier escuchan la conversación. Comprenden que la Lanza está en Pamplona, España. Pamplona está en el norte de España.

Paula escribe en el papel. Escribe donde está exactamente la Lanza. Javier quiere el papel de Paula, porque el papel tiene información de la Lanza. Javier tiene un plan.

---

4 **Navarra** – Navarre is a region in northern Spain.

En el restaurante hay una exposición de arte

Las Ramblas

CAPÍTULO OCHO

Princesa

 Barcelona, España

Javier quiere el papel de Paula inmediatamente. Está furioso porque Mario no es un agente muy efectivo. Paula identifica a Mario con ropa de agente secreto. Javier quiere que Mario hable con Paula con ropa de chica. Javier quiere el papel de

Paula. Javier dice a Mario:

–Quiero que hables con Paula, pero con ropa de chica.

–¿Qué? ¿Yo? ¿Con ropa de chica?
–responde Mario.

–Tú no eres efectivo con ropa de agente secreto –explica Javier.

–¿Pero yo? ¿Con ropa de chica?
–exclama Mario.

–¡Rápido! En ese momento tú eres una princesa. Y yo separo a Luis de Paula –dice Javier.

Paula y Luis caminan hacia el coche. Javier camina detrás de Paula y Luis. Caminan por una calle grande. Es una calle muy popular. La calle se llama las Ramblas[1]. Hay mucha actividad. Muchas personas caminan por la calle.

Javier camina hacia Paula y Luis. Quiere separar a Luis de Paula. Javier dice a Paula:

–Chica, observa a la princesa.

Cuando Paula observa a Mario, Javier habla

1 **Ramblas** – a wide street in Barcelona. Today it is full of vendors and performers.

con Luis. Paula observa a la princesa. La princesa es interesante. Es evidente que la princesa es un chico. Tiene las manos grandes. Tiene también los brazos grandes. Paula mira los ojos de la princesa. Tiene los ojos negros. La princesa dice a Paula:

–¡Hola! ¿Qué tal?

–Bien, princesa –responde Paula.

–Tú eres una princesa. Eres muy guapa –dice el actor.

La princesa extiende la mano a Paula. Cuando Paula extiende la mano, la princesa toma el papel de Paula. En el papel están sus observaciones. Paula ve que la princesa toma el papel. Rápidamente, Paula toma el papel. Paula le pega en el brazo a la princesa. Le dice:

–¡Pirata! ¿Por qué tomas mi papel?

–¿Tu papel? –responde la princesa.

Intensamente, Paula mira los ojos de la princesa. Paula observa que la princesa tiene los ojos negros. Los ojos son familiares. De repente, Paula exclama: –¡Mario!

Muy rápido, Mario atrapa a Paula. Pero Paula le pega en la cabeza a Mario. Paula escapa de los brazos de Mario. Entonces, Mario corre hacia Paula. Mario no corre muy rápido porque está con ropa de princesa.

Luis ve a Paula. Corre hacia Paula. Toma la mano de Paula. Corre con Paula hacia el coche.

Javier corre hacia Mario. Está furioso. Javier exclama:

–¿Por qué no corres rápido?

–Una princesa no corre –explica Mario.

–¡No quiero excusas! ¡Vamos! ¡Paula escapa! –exclama Javier.

Casa Batlló, Barcelona

Plaza 'Sant Felip Neri'

CAPÍTULO NUEVE

La explosión

 Barcelona, España

Luis y Paula quieren escapar de Mario y Javier. Luis y Paula corren rápido por una plaza pequeña. La plaza se llama Sant Felip Neri. Hay muchas personas en la plaza. De repente, explota una bomba[1]. ¡Crac! La explosión es grande.

---

1 During the Spanish Civil War, Francisco Franco and his military set off a bomb in this plaza killing 42 people, mostly children.

Paula está nerviosa. No ve a Luis. Paula camina por la plaza pequeña. Paula observa que Luis no está en la plaza. No ve a Luis. Paula camina por la plaza. Ve a Luis. Está en una calle pequeña. Paula corre hacia Luis. Observa que Luis está bien. Luis ve a Paula. Luis dice:

–¡Paula!

–¡Luis! ¿Estás bien? –exclama Paula.

–Sí. ¡Vamos! ¡Vamos al coche! –insiste Luis.

–¿Por qué explota una bomba? –comenta Paula.

–La situación es urgente. ¡Vamos! La Lanza es muy importante –explica Luis.

Rápidamente, Paula y Luis van hacia el coche. Las calles tienen muchas curvas. Las calles son muy pequeñas. Javier y Mario caminan detrás de Paula y Luis.

Paula y Luis caminan por una plaza grande. La plaza se llama Plaza Cataluña. Cuando caminan por la plaza, hay mucho pánico. Hay personas que tienen rifles. Muchas personas corren por la plaza.

Las calles son muy pequeñas

El Mercedes, el coche de Javier

CAPÍTULO DIEZ

El coche rápido

 Barcelona, España

Paula y Luis corren al coche. El coche va muy rápido por las calles de Barcelona. De repente, Paula observa un coche detrás de su coche. El coche es un Mercedes. El Mercedes va muy rápido. En el Mercedes están Mario y Javier.

El Mercedes acelera. Paula acelera. De repente, hay una curva en la calle. Paula acelera. Luis está nervioso. Le dice a Paula:

–¿Estás loca? ¿Por qué aceleras?

–Quiero escapar –responde Paula.

–¡No aceleres! Hay una curva –insiste Luis.

Paula no escucha a Luis. Acelera mucho. Javier también acelera. Javier quiere atrapar el coche de Paula. De repente, el coche de Paula salta[1] de la calle. Luis exclama:

–¡Paula!

Paula se concentra mucho. El coche de Paula entra en una calle pequeña. También el Mercedes salta de la calle. Tiene un accidente. El Mercedes no entra en la calle pequeña. El coche de Paula escapa. Entonces, el coche de Paula continúa hacia Pamplona.

---

1 **salta** – jumps

CAPÍTULO ONCE

Toros

Un café en la plaza de Pamplona

Pamplona, España

En Pamplona, Luis y Paula van a la plaza central. Hay muchos cafés en la plaza. Pamplona es diferente a Barcelona. Pamplona es muy pequeña. Cuando caminan por la plaza, Paula ve a Mario. Javier camina con Mario. Paula exclama:

–¡Mira! ¡Es Mario! ¡Corre!

Los dos corren rápidamente. Javier y Mario corren detrás de Paula y Luis. Muy rápido, Paula y Luis corren hacia una barrera[1]. Saltan rápidamente sobre la barrera. Saltan porque quieren escapar de Mario y de Javier. Hay muchas personas que los observan.

Inmediatamente, Javier y Mario saltan sobre la barrera. Javier y Mario ven a Paula y a Luis. No es posible escapar rápidamente, porque hay muchas personas. Paula está muy nerviosa.

Javier y Mario corren hacia Paula y Luis. De repente, seis toros corren por la calle. Muchas personas corren por la calle. ¡Es un encierro de toros[2]!

---

1 **barrera** – barrier

2 **encierro de toros** – running of the bulls

Una barrera

Luis corre rápidamente delante de los toros. Luis escapa de los toros. También Javier escapa de los toros, porque corre rápidamente.

Pero Mario y Paula no escapan rápidamente. Los toros corren detrás de Paula y Mario. Paula corre rápidamente pero hay muchas personas.

Mario corre detrás de Paula. Un toro les pega a Mario y a Paula. ¡Uf! Paula y Mario caen a la calle, pero el toro no les ataca. El toro corre hacia la plaza de toros.

De repente, un toro diferente salta sobre Paula y Mario. Paula está nerviosa, pero el toro no les ataca. Inmediatamente, Mario toma el papel de Paula. Mario se levanta con el papel en la mano. Paula se levanta furiosamente. Paula quiere el papel.

Mario está contento, porque tiene el papel. Paula quiere tomar el papel. Mario tiene el papel en la mano y dice románticamente:

–Mira, guapa. El papel.

–¡Mario! ¿Por qué tomas mi papel? –exclama Paula.

Mario no responde porque en ese momento, un toro grande corre por la calle. El toro ve el papel que está en la mano de Mario. El toro corre hacia Mario, porque quiere atacar a Mario.

Rápidamente, Mario corre hacia una barrera. El toro ataca a Mario. El toro le pega a Mario en un brazo. Con la cabeza, el toro levanta completamente a Mario. ¡Uf! Mario se cae. Y el papel se cae.

Entonces, el toro ataca a Mario con la cabeza. Le pega a Mario con la cabeza. El toro levanta a Mario.

Paula ve que el papel cae a la calle. Paula toma el papel y corre, porque quiere escapar con el papel.

Inmediatamente, el toro ve a Paula. El toro corre detrás de Paula. Rápidamente, Paula salta sobre la barrera y escapa del toro. Mario se levanta y salta sobre la barrera. Mario camina detrás de Paula en secreto.

Pamplona

CAPÍTULO DOCE

Plaza de toros

Pamplona, España

Paula ve a Luis frente a un restaurante. Luis está impaciente. Quiere la Lanza inmediatamente. Luis dice:

–La situación es urgente. Mario y Javier quieren la Lanza.

–Sí. Es urgente –dice Paula.

–¿Qué observas en tu imaginación? –comenta Luis.

–Un chico sobre un caballo tiene la Lanza –explica Paula.

Luis comenta que en la plaza de toros[1], hay chicos sobre caballos. Paula exclama:

–¡Vamos a la plaza de toros!

–Buena idea. ¡Vamos! –dice Luis.

Paula y Luis entran en la plaza de toros. Hay una corrida de toros. Hay muchas personas en la plaza de toros. Las personas quieren ver la corrida de toros.

Paula mira el papel con sus observaciones. Mira los símbolos en el papel. Paula comenta a Luis:

–En el mural de Picasso, una lanza penetra en el estómago

---

1 **plaza de toros** – bullring

Plaza de toros de Pamplona

del caballo.

–¡Qué interesante! Normalmente la lanza penetra al toro –dice Luis.

Paula no responde porque hay mucho aplauso. Un picador[2] entra en la plaza de toros. El picador está sobre un caballo. El picador tiene una lanza en la mano. Paula observa intensamente la lanza.

Paula mira los símbolos en el papel. En su imaginación, Paula ve al caballo que está en el mural. Ve también a un picador. El picador está sobre un caballo. El caballo tiene cuatro piernas. Una pierna es especial. La pierna está en forma de una cabeza de un toro[3]. Paula comenta a Luis:

–En el mural, el caballo es un símbolo importante.

–¿El caballo representa el caballo de un

---

2 **picador** – horseman who stabs the bull in the neck during a bullfight.

3 Paula sees an abstract bull's head. In the mural, the horse's bent leg is the front part of the bull's head, the knee is the snout, and the notch above the hoof is the eye.

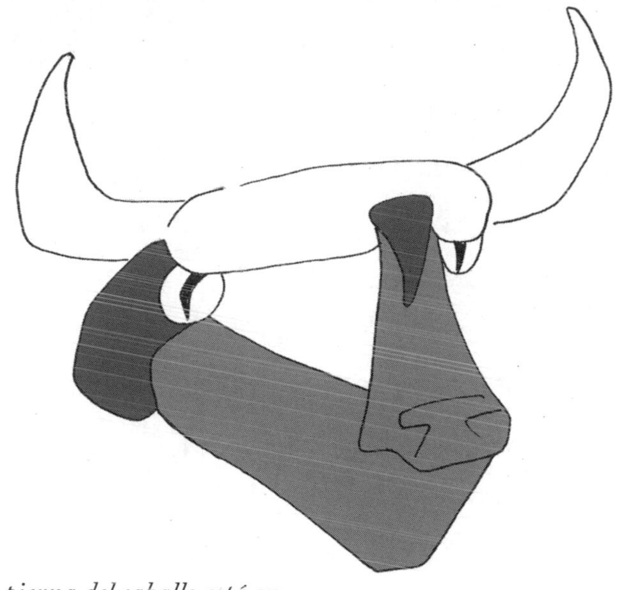

La pierna del caballo está en forma de una cabeza de un toro

picador? –dice Luis.

–¿Y el picador penetra al toro secreto con la lanza? –comenta Paula.

–¿Un toro secreto? ¿Dónde? –insiste Luis.

En ese momento, el toro en la plaza corre hacia el caballo. El toro ataca al caballo con la cabeza. El picador ataca al toro con la lanza. La lanza penetra al toro. Y el toro se cae. Un toro normalmente no se cae. La lanza paraliza al toro, porque la lanza es especial.

Paula ve el mural en su imaginación. Imagina que hay una cabeza de un toro secreto. Paula se levanta y exclama:

–¡Mira! La lanza paraliza al toro.

–Correcto. El toro se cae. No es normal –comenta Luis.

–¿Es posible? ¿El picador tiene la Lanza del Destino? –dice Paula.

Rápido, Paula corre hacia la barrera de la plaza de toros. Luis se levanta y corre detrás de Paula. Luis ve que Paula quiere saltar sobre la barrera. Paula quiere entrar en la plaza de toros, porque quiere la Lanza. Luis exclama:

–¡No! ¡No entres en la plaza! Hay un toro.

–Pero el picador tiene la Lanza –insiste Paula.

Muy rápido, Paula salta sobre la barrera. Luis no salta sobre la barrera. En la plaza de toros, Paula corre hacia el picador. El picador ve a Paula. El picador está confuso. No comprende por qué Paula corre por la plaza. Paula toma la Lanza del picador.

Mario quiere la Lanza. Mario salta sobre la barrera y corre hacia Paula. En ese momento, el toro se levanta y corre hacia Mario. El toro le pega a Mario en las piernas. Paula corre hacia la barrera y salta sobre la barrera.

Luis está con Paula detrás de la barrera. Luis está muy contento, porque Paula tiene la Lanza. Luis le dice:

–¡Tienes la Lanza! ¡Excelente! ¡Vamos!

–¡Sí, vamos! –responde Paula.

El puente en Pamplona

CAPÍTULO TRECE

La Lanza

Pamplona, España

Rápidamente, Luis y Paula corren por una calle. Javier ve que Paula tiene la Lanza. En secreto, Javier corre detrás de Paula y Luis, porque quiere la Lanza. Javier corre rápidamente.

De repente, Javier salta y le pega a Luis en las piernas. Luis se cae. Paula no observa que Luis se cae. Paula corre hacia un parque.

Hay un puente en el parque. Cuando Paula corre por el puente, escucha:

–¡Paula! ¡Paula! –exclama una persona.

Paula ve que la persona no es Luis. La persona es Mario. Paula está nerviosa porque Luis no está. Paula exclama:

–¡No! ¡No camines!

Mario quiere hablar románticamente con Paula, porque tiene un motivo secreto. Mario quiere la Lanza. Mario camina hacia Paula, pero Paula repite:

–¡No camines!

Mario no camina hacia Paula. Mario mira románticamente a Paula porque quiere la Lanza.

–Eres muy guapa –dice Mario románticamente.

–Gracias –responde Paula rápidamente.

Paula está confusa porque Mario le habla románticamente. Paula no comprende los motivos de Mario. Paula mira los ojos de Mario.

–¡Paula! –exclama Luis.

–¡Luis! –responde Paula.

CAPÍTULO CATORCE

La parte mágica

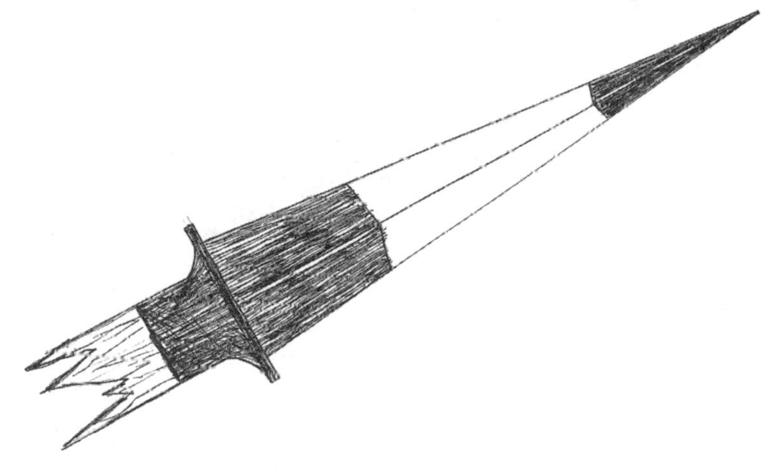

Pamplona, España

Paula observa a Luis. Observa que Luis está con Javier y Mario. Luis es el prisionero de Javier porque Javier quiere la Lanza.

De repente, un gato negro camina frente a Paula. Entonces, Paula observa al gato. Paula no observa a Javier.

–¡Corre! –exclama Luis.

Paula mira inmediatamente a Luis. Javier y Mario no están con Luis, porque corren hacia Paula. Corren rápidamente. Paula corre, pero se cae sobre el gato. Paula se cae y la lanza va por el aire.

Mario y Javier observan que la lanza va por el aire. Entonces, la lanza cae al agua y flota en el agua. Mario y Javier saltan rápidamente al agua, porque quieren la lanza. Luis también quiere saltar al agua. Pero Paula exclama:

–¡No! ¡No saltes!

–¿Por qué no? –responde Luis.

–La Lanza no flota en el agua –explica Paula.

–¿Dónde está la Lanza? –dice Luis.

Paula mira el puente. Parte de la Lanza está en el puente. Es la parte metálica de la Lanza. Es la parte mágica de la Lanza. Paula toma esa parte de la Lanza.

–La parte metálica se separa de la Lanza –explica Paula.

Luis está muy contento. Luis dice:

–¡La Lanza! ¡Tú tienes la Lanza! Tienes la

parte mágica.

–¡Sí! –responde Paula.

–¡Vamos al coche! –exclama Luis.

Paula y Luis corren al coche con la Lanza. Javier y Mario van hacia la parte de la lanza que está en el agua. Javier toma esa parte de la lanza. Javier ve que no está la parte metálica. No es la Lanza del Destino. Javier y Mario están furiosos, porque no tienen la Lanza.

Paula y Luis van en el coche hacia Barcelona. Van a Barcelona porque el papá de Luis quiere la Lanza. Luis dice:

–Gracias por defender la Lanza.

–Gracias al gato negro. El gato es un héroe –responde Paula.

–El héroe es tu imaginación. La imaginación es importante –comenta Luis.

–Un buen amigo es importante, muy importante –explica Paula.

Luis está contento, porque Paula es una buena amiga y tiene una imaginación excepcional.

Glosario

a – to

accidente – accident

acelera – s/he accelerates

aceleras – you accelerate

aceleres – you accelerate (negative command form)

actividad – activity

actor – actor

agente – agent

agentes – agents

agua – water

aire – air

al – to the

amigo/a – friend

ángulos – angles

animales – animals

años – years

aplauso – applause

arte – art

artista – artist

ataca – s/he attacks

atacar – to attack

atrapa – s/he traps

atrapar – to trap

Barcelona – a city in Spain

barrera – barrier

bien – well

blanco – white

boca – mouth

bomba – bomb

bombardearon – they bombed

brazo – arm

buen/ buena – good

caballo – horse

cabeza – head

cae/ se cae – s/he falls

caen – they fall

café – coffee, cafe

calle – street

cámara – camera

camina – s/he walks

caminan – they walk

camines – you walk (negative command form)

capital – capital
capítulo – chapter
casa – house
Cataluña – Catalonia
catedral – cathedral
centro – center
central – central
chapelle – chapel (French word)
chica – young woman
chico – young man
civil – civil
coche – car
colores – colors
columna – column
comenta – s/he comments
cómo – how
compara – s/he compares
completamente – completely
comprende – s/he understands
comprenden – they understand
comprendo – I understand
con – with
concentra – s/he concentrates
conexión – connection
conflicto – conflict
confuso – confused
contento/a – happy
continúa – continues
controla – s/he controls
controlar – to control
controló – s/he controlled
conversación – conversation
corre – s/he runs
correcto – correct
corren – they run
corres – you run
corrida de toros – bullfight
costa – coast
crac – boom
cruel – cruel

cuadro – painting
cuando – when
cuatro – four
curiosamente – curiously
curioso – curious
curva – curve
de – of, from
de repente – suddenly
dedos – fingers
defender – to defend
del – from the
delante – in front of
desde – from
destino – destiny
destrucción – destruction
detrás de – behind
deux – two (French word)
dice – s/he says
diferente – different
directamente – directly
divinos – divine
dónde – where
dos – two
durante – during
efectivo – effective
el – the
en – in
enciende – s/he lights, ignites
encierro de toros – running of the bulls
enorme – enormous
entonces – then
entra – s/he enters
entran – they enter
entrar – to enter
entres – you enter (negative command form)
eres – you are
es – is
esa – that
escapa – s/he escapes
escapan – they escape
escapar – to escape
escribe – s/he writes
escribes – you write
escucha – s/he listens

escuchan – they listen
escuchar – to listen
ese – that
España – Spain
especial – special
está – s/he is
están – they are
estás – you are
estómago – stomach
estos – those
Europa – Europe
evidente – evident
exactamente – exactly
excelente – excellent
excepcional – exceptional
exclama – s/he exclaims
excusas – excuses
exhausta – exhausted
experiencia – experience
experto – expert
explica – s/he explains
explosión – explosion
explota – explodes
exposición – exhibition
expresión – expression
extiende – s/he extends
familiares – familiar
famoso – famous
fascinante – fascinating
favorito – favorite
flota – floats
forma – form
fotos – photos
Francesa – French
Francia – France
Franco – Spanish military officer who later became dictator
frente a – in front of
furiosamente – furiously
furioso – furious
gato – cat
general – general
gracias – thanks
grande – large, big
grupo – group
guapo/a – good-looking
Guernica – the name of Picasso's mural

guerra – war
habla – s/he talks
hablan – they talk
hablar – to talk
hable – s/he talk
hables – you talk (negative command form)
hacia – towards
hay – there is, there are
héroe – hero
historia – history
hola – hi
idea – idea
identical – identical
identifica – s/he identifies
ilegalmente – illegally
imagina – s/he imagines
imaginación – imagination
imágenes – images
impaciente – impatient
importante – important
información – information
inmediatamente – immediately
insiste – s/he insists
inteligente – intelligent
intensamente – intensely
interés – interest
interesante – interesting
internacional – international
investiga – s/he investigates
investigación – investigation
investigan – they investigate
investigar – to investigate
la – the
lámpara – lamp
lanza – spear, lance
Lanza del Destino – Spear of Destiny
largo – long
las – the
le – him, her

les – them

levanta/ se levanta – s/he raises; stands up

leyenda – legend

llama/ se llama – s/he calls; s/he calls herself/ himself

llamas/ te llamas – you call; you call yourself

llamo/ me llamo – I call; I call myself

loca – crazy

lógica – logical

los – the

mágica – magical

magots – wise men (French word)

mano – hand

me – me

Mercedes – Mercedes

metálica – metal

mi – my

militar – military

mira – s/he looks

misteriosos – mysterious

momento – moment

motivo – motive

mucho/a – many, a lot

mural – mural

muy – very

nacional – national

Navarra – Navarre, a region in Spain

negro – black

nervioso – nervious

no – no

normales – normal

normalmente – normally

norte – north

nueve – nine

número – number

observa – s/he observes

observaciones – observations

observan – they observe

observas – you observe

ojos – eyes

original – original

Pamplona – city in northern Spain

pánico – panic
papá – dad
papel – paper
paraíso – paradise
paraliza – paralyzes
París – Paris, capital of France
parque – park
parte – part
particular – particular
patio – patio
pega – s/he hits
pelo – hair
penetra – penetrates
pequeño/a – small
perfecto – perfect
pero – but
persona – person
picador – horseman in a bullfight
Picasso – famous Spanish painter
pierna – leg
pirata – pirate
plan – plan
plaza – plaza
política – politics
político – politician
políticos – politicians
popular – popular
por – for, through, by way of
por qué – why
porque – because
posible – possible
princesa – princess
prisionero – prisoner
problemas – problems
puente – bridge
que – that
qué – what
qué tal – how are you
quema – sets fire to, burns
quiere – s/he wants
quieren – they want
quiero – I want
rápidamente – quickly, fast
rápido – fast

repente/ de repente – suddenly
repite – s/he repeats
representa – represents
responde – s/he responds
restaurante – restaurant
revolución – revolution
rifles – rifles
románticamente – romantically
romántico – romantic
ropa – clothes
rumor – rumor
sainte – Saint (French word)
salta – s/he jumps
saltan – they jump
saltar – to jump
saltes – you jump (negative form)
se – himself, herself
secreto – secret
seis – six
separa – s/he separates
separar – to separate
separo – I separate
serio – serious
sí – yes
silencio – silence
símbolos – symbols
similar – similar
situación – situation
sobre – over, on
solamente – only
sombrero – hat
son – they are
su – his, her
sufren – they suffer
superguapa – super good-looking
sus – his, her
talento – talent
también – also, too
te – you
terror – terror
tiene – s/he has
tienen – they have
tienes – you have
toma – s/he takes
tomar – to take

tomas – you take

tomó – s/he took

toro – bull

total/ en total – a total of

tres – three

tú – you

tu – your

tus – your

uf – ouch

un – a

una – a

urgente – urgent

urgentemente – urgently

va – s/he goes

vamos – let's go

van – they go

ve – s/he sees

vela – candle

ven – they see

ver – to see

violencia – violence

visitan – they visit

y – and

yo – I

Notas

Here are some themes and places for you to explore further:

- Pablo Picasso
- 1937 International Exposition in Paris
- Paris, France
- Sainte-Chapelle and its connection to the Spear of Destiny
- Les Deux Magots- where Picasso hung out
- French King Louis IX and his Spanish mother
- 'Guernica'- the mural
- Picasso's paintings depicting bulls, bullfighting, and the crucifixion
- Cubism style of painting
- Nazis' bombing of Guernica, Spain
- Bullfights and the Running of the Bulls
- Importance of the bull in Spanish culture
- Pamplona, Spain and the region of Navarra
- San Fermín celebration in Pamplona
- Barcelona: Park Güell, Las Ramblas, Sant Felip Neri, Plaza Cataluña (Plaça de Catalunya)
- 4 Cats restaurant (4 Gats) - where Picasso hung out and had his first public exposition

- Picasso Museum in Paris and Barcelona
- Barcelona's role in the Spanish Civil War
- Spear of Destiny
- Hitler's search for the Spear of Destiny and for other occult objects
- General Francisco Franco
- Spanish Civil War
- Spies and secret agents
- 1937 Talbot-Lago automobile
- Mercedes-Benz automobiles

Agradecimiento

Many thanks to Melanie Martin Lawhead, Carmen R. Andrews, Vilma Montealegre, Scott Benedict, Ignacio Almandoz, Gemma Urio, Pablo Ortega López, Contee Seely, Penelope Amabile, Beth Skelton, and the many students who read the pre-published manuscript, including students of Erie High School in Colorado.

Sobre la autora

Mira Canion is an energizing presenter, author, photographer, stand-up comedienne, and high school Spanish teacher in Colorado. She has a background in political science, German, and Spanish. She is also the author of the popular, historical novellas **Piratas del Caribe y el mapa secreto, Rebeldes de Tejas, Vampirata** as well as teacher's manuals. For more information, please consult her website: **www.miracanion.com**